CHRISTOPHE
COLOMB
DÉCOUVREUR
DE L'AMÉRIQUE

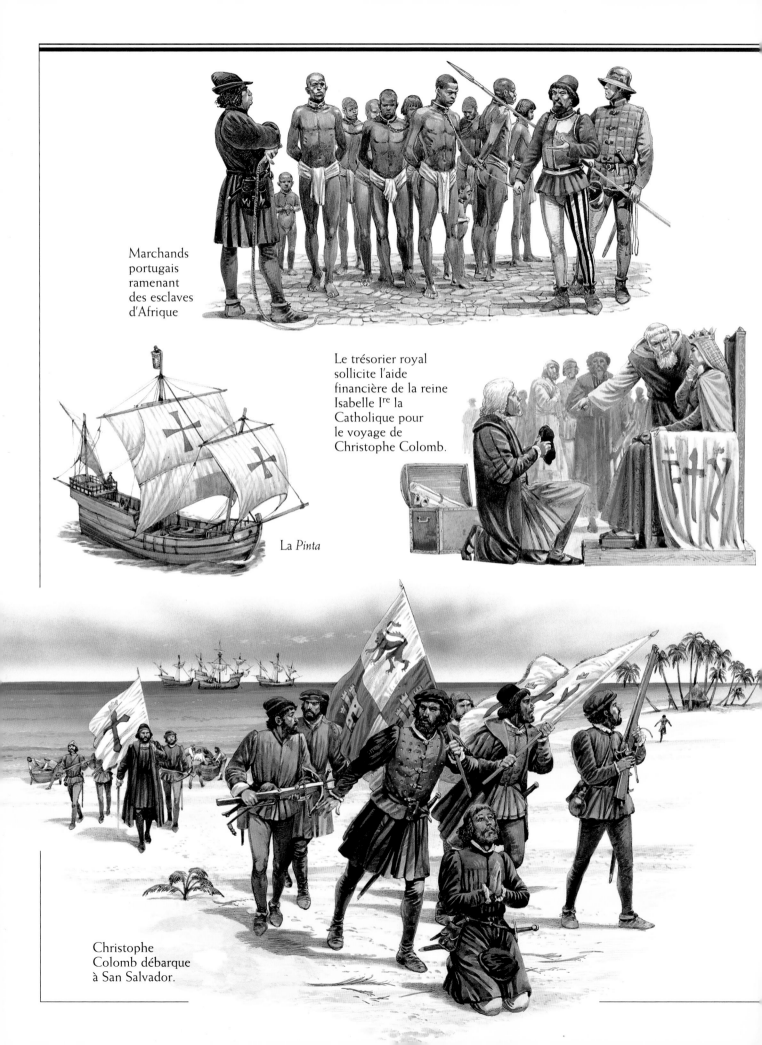

Marchands
portugais
ramenant
des esclaves
d'Afrique

La *Pinta*

Le trésorier royal
sollicite l'aide
financière de la reine
Isabelle Ire la
Catholique pour
le voyage de
Christophe Colomb.

Christophe
Colomb débarque
à San Salvador.

CHRISTOPHE COLOMB
DÉCOUVREUR
DE L'AMÉRIQUE

Texte
PETER CHRISP

Illustrations
PETER DENNIS

Traduction
CHRISTIANE PRIGENT

Conseil
JEAN-PAUL DUVIOLS

professeur à l'université de Paris-Sorbonne

GALLIMARD JEUNESSE

Pour l'édition originale :

Chefs de projet :
Steve Setford et Marie Greenwood
Maquettistes :
Peter Radcliffe et Carole Oliver
Éditrice en chef : Jayne Parsons
Directrice artistique : Jacquie Gulliver
PAO : Nomazwe Madonko
Iconographe :
Amanda Russell,
Pernilla Pearce et Marie Osborn
Fabrication : Kate Oliver

Titre original : *Christopher Colombus, explorer of the new world*

Copyright © 2001 Dorling Kindersley Ltd., Londres

Illustrations complémentaires de David Ashby

Pour l'édition française :

Édition :
Éric Pierrat et Clotilde Grison
PAO : Sandrine Duvillier, Octavo
Préparation :
Emmanuel de Saint-Martin
Correction :
Claire Passignat et Lorène Bücher
Index : Claire Passignat

ISBN : 2-07-054620-9

Copyright © 2001 Éditions Gallimard Jeunesse, Paris
Loi n° 49-956 du 16 juillet 1949
sur les publications destinées à la jeunesse
Dépôt légal : septembre 2001
Numéro d'édition : 99532

Photogravure Colourscan, Singapour
Impression L.E.G.O., Italie

Sommaire

L'époque des explorations

Jusqu'aux années 1400, les Européens ne connaissent pas grand-chose de notre vaste monde. Tout change au XVe siècle, lorsque le royaume de Portugal commence à envoyer des navires en voyages d'exploration. Les marins portugais naviguent le long de la côte occidentale de l'Afrique, y fondent des comptoirs commerciaux et ouvrent la route de l'océan Indien.

« Voici l'histoire des héros qui, après avoir laissé derrière eux leur Portugal natal, ouvrirent la route pour Ceylan [Sri Lanka], et voguèrent plus loin encore, sur des mers que nul homme n'avait encore explorées. »

Luis de Camoens
(poète portugais),
Les Lusiades, 1572

Portugal

La côte africaine, avec les noms donnés par les explorateurs portugais

Carte du monde, par Henricus Martellus, vers 1490

CARAVELLE
Les explorateurs portugais s'aventurent sur l'océan Atlantique, inconnu jusque-là, sur de petits navires appelés caravelles.

Les caravelles ont des voiles latines (triangulaires), plus adaptées que les voiles carrées pour naviguer dans le vent.

LES VILLES DE CATHAY
Le voyageur vénitien Marco Polo visite la Chine (qu'il appelle Cathay) au XIIIe siècle. À son retour, il décrit les richesses des villes de Cathay.

Ceylan (Sri Lanka), dans l'océan Indien

À LA RECHERCHE DES INDES

LES VOYAGES D'EXPLORATION EUROPÉENS ont pour but d'atteindre « les Indes », comme on appelle alors l'Asie. Ce nom désigne tous les pays orientaux, de l'Inde au Japon. Les Européens ne situent pas précisément ces terres. Ils ne savent qu'une chose : les Indes sont riches. On y trouve des épices, de l'or, des joyaux et de la soie – denrées rares en Europe, et que les Occidentaux souhaitent ardemment se procurer.

> « On trouve de l'or à Cipangu [Japon] en quantités incommensurables. Le souverain de l'île possède un grand palais dont le toit est entièrement recouvert d'or fin. »
>
> Marco Polo et Rusticello de Pise, *Les Voyages de Marco Polo*, vers 1299

Marco Polo est envoyé en mission par le khan dans toute l'Asie.

LA ROUTE DE LA SOIE
Pendant des siècles, les épices et d'autres produits d'Orient parviennent en Occident par une voie de commerce appelée la route de la soie. En Europe, ils coûtent très cher, en raison des bénéfices qu'en tiraient les marchands qui les achetaient et les revendaient sur la route.

MARCO POLO
Vers la fin du XIIIᵉ siècle, le marchand vénitien Marco Polo est l'un des rares Européens à visiter l'Asie. Il voyage pendant quatre ans sur la route de la soie pour atteindre la Chine où il passe seize ans comme diplomate au service de l'empereur Kubilay Khan.

Des épices comme la cannelle relèvent bien le goût des mets européens.

Les marchandises

Les produits acheminés vers l'Occident par la route de la soie viennent de tous les pays d'Asie. La soie est fabriquée en Chine, la cannelle est récoltée à Ceylan, l'Inde fournit le poivre noir.

Cannelle

Clous de girofle

Soie   Noix muscade   Poivre noir

LES ÎLES DES ÉPICES
Les épices les plus chères, dont la muscade et le girofle, ne poussent que dans les « îles aux épices » (ou Moluques), en Indonésie orientale.

DES HISTOIRES FANTASTIQUES
De retour en Italie, Marco Polo raconte son voyage dans le *Livre des merveilles du monde*. Christophe Colomb lira plus tard ce livre qui sera pour lui une référence. Ainsi quand il atteindra l'Amérique, il pensera être au large des côtes de la Chine.

L'EMPIRE OTTOMAN

Après l'échec des croisades, au XVᵉ siècle l'Europe est sur la défensive. Des musulmans, les Turcs ottomans, se lancent dans la guerre sainte, s'emparent de la Grèce et des Balkans et conquièrent des îles comme Rhodes, en Méditerranée. La puissance de l'Empire ottoman rend plus difficile que jamais l'accès des Européens aux Indes par voie terrestre.

Les forces ottomanes conquièrent Rhodes en 1522.

PAS DE ROUTE À L'EST

L'Europe chrétienne est cernée par les musulmans qui règnent au sud et à l'est. Islam et chrétienté ne s'entendent pas. Mahomet a institué la guerre sainte, puis, du XIᵉ au XIIIᵉ siècle, la papauté organise les croisades afin de secourir les chrétiens d'Orient et de reprendre le Saint-Sépulcre.

Les chameaux, adaptés aux régions désertiques et plus forts que les ânes ou les chevaux, transportent de lourds fardeaux le long de la route de la soie.

Henri le Navigateur
Le prince Henri de Portugal, surnommé Henri le Navigateur, comprend que la route maritime est le meilleur moyen de contourner la barrière musulmane. Dans la première moitié du XVᵉ siècle, il organise des voyages d'exploration sur la côte occidentale africaine.

CARAVANE DE CHAMEAUX
Les chameaux sont les principales bêtes de somme utilisées pour transporter les marchandises sur la route de la soie. Ils se déplacent en longues caravanes.

Les soldats de Kubilay Khan escortent Marco Polo, lors de ses missions, sur de petits chevaux robustes.

REPÈRES

• En prison à Gênes, Marco Polo dicte ses histoires à un certain Rusticello originaire de Pise.

• Il raconte que les Chinois se servent de pierres noires comme combustible. Ses lecteurs, qui ne connaissent pas le charbon, ont du mal à le croire.

• Comme il va mourir, on demande à Marco Polo s'il a inventé ses histoires. Il répond qu'il n'a même pas raconté la moitié de ce qu'il a vu aux Indes.

• D'autres récits de voyageurs évoquent des fourmis géantes creusant des mines d'or, et des gens acéphales dont les visages sont sur leur poitrine.

Le Prêtre Jean

LE PRINCE HENRI a entendu des voyageurs parler du Prêtre Jean, un puissant roi chrétien qui règne quelque part en Afrique ou en Asie. Il espère que les Portugais le trouveront au cours de leurs voyages d'exploration, et que ce souverain aidera la chrétienté à mener une nouvelle croisade.

Un roi imaginaire
Bien que son royaume figure sur des cartes, le Prêtre Jean n'a jamais existé.

Gravure du port de Gênes
La ville natale de Colomb, Gênes, est un port méditerranéen très animé. Dans son enfance, Colomb a pu voir des navires marchands au départ ou à l'arrivée au port, et il a dû rêver de mener la vie aventureuse d'un marin.

Voyages sur l'Atlantique
À partir de Lisbonne, Colomb fait plusieurs voyages commerciaux sur l'Atlantique. Il navigue vers le nord jusqu'en Islande, vers le sud jusqu'au Ghana. Il étudie l'Océan et son système de vents et de courants.

Christophe Colomb trouve comme planche de salut un aviron qui flotte près de lui.

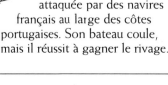

CHRISTOPHE COLOMB

PROBABLEMENT NÉ À GÊNES, AU NORD DE l'Italie, en 1451, Christophe Colomb décide très tôt de devenir marin, plutôt que de suivre les traces de son père, tisserand et négociant en laine. À 15 ans, il navigue sur des navires marchands autour de la Méditerranée. Son éducation scolaire est sommaire, mais il montre très tôt un talent pour la navigation. À 25 ans, il s'installe au Portugal. Pour un jeune homme curieux de découvrir le monde, ce pays, à l'époque des explorations, est l'endroit idéal d'où partir.

LES QUAIS DE LISBONNE
Christophe Colomb s'installe dans la capitale du Portugal, Lisbonne, construite sur les rives du Tage, un grand fleuve qui se jette dans l'océan Atlantique en un large estuaire. Sur les quais, l'air résonne du bruit des marins qui chargent et déchargent les cargaisons des navires en s'interpellant dans différentes langues.

COLOMB, LE MARIN
Sur les quais animés, on apprécie les conseils du marin expérimenté qu'est Christophe Colomb.

LES EXPORTATIONS
Les navires portugais embarquent en Afrique chevaux, verroterie, grelots en cuivre, tapis, laine anglaise et toile de lin irlandaise.

NAUFRAGÉ
C'est un naufrage qui amène Colomb au Portugal. En 1476, il navigue avec une flotte génoise qui est attaquée par des navires français au large des côtes portugaises. Son bateau coule, mais il réussit à gagner le rivage.

La navigation en eaux connues

Christophe Colomb apprend à se repérer en mer au moyen d'un compas et d'une carte marine appelée portulan, qui indique la position des ports et le contour des côtes. Un marin naviguant dans des eaux connues utilise ces deux instruments pour établir son plan de route.

Compas
Un compas comprend une aiguille magnétique dont la pointe indique le nord.

Portulan
Le cartographe dessinant un portulan trace des lignes entrecroisées pour plus d'exactitude. Cette grille aide le navigateur à trouver les directions et à connaître **la distance entre deux ports.**

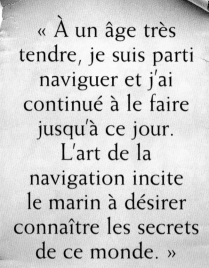

« À un âge très tendre, je suis parti naviguer et j'ai continué à le faire jusqu'à ce jour. L'art de la navigation incite le marin à désirer connaître les secrets de ce monde. »

Christophe Colomb, extrait d'une lettre au roi et à la reine d'Espagne, 1501

COMMERCE SUR LA CÔTE-DE-L'OR
Les Portugais trouvent de l'or dans une partie du Ghana, en Afrique occidentale. Ils nomment cette région la Côte-de-l'Or et rapportent de ce métal à Lisbonne, où l'on en fait des pièces appelées *cruzados* (croisades).

LES RICHESSES DE L'AFRIQUE
Christophe Colomb part pour le Ghana sur un bateau semblable à celui-ci. Très impressionné par les mines d'or qu'il voit là-bas, il comprend que l'on peut tirer un grand profit des voyages d'exploration.

L'ESCLAVAGE
Les Portugais ne voient aucune contradiction entre leur foi chrétienne et le fait de réduire en esclavage d'autres hommes.

Sucre en provenance de Madère

LES IMPORTATIONS AFRICAINES
Les navires venus d'Afrique débarquent des esclaves, des caisses de poussière d'or, de l'ivoire et des tonneaux pleins d'une épice semblable au poivre et appelée malagueta.

En Afrique, ces onze esclaves auraient pu s'échanger contre un seul cheval.

TRAFIC D'ESCLAVES
Entre 1450 et 1500, environ 150 000 Africains transitent par les quais de Lisbonne.
Les Portugais les achètent aux marchands d'esclaves locaux ou à des chefs de tribus.
Les guerres entre chefs sont fréquentes, comme les incursions en territoire ennemi pour capturer des hommes qu'ils vendent aux Blancs.

« La Terre est ronde.
On peut vivre sur six
parties du globe,
la septième est couverte
d'eau … Entre
l'extrémité de l'Espagne
et le début de l'Inde
s'étend une mer étroite
que l'on peut traverser
en quelques jours avec
un vent favorable. »

Cardinal Pierre d'Ailly,
Imago Mundi,
1410

LE PROJET

DURANT SES VOYAGES COMMERCIAUX
sur l'océan Atlantique, Christophe
Colomb scrute souvent l'horizon,
à l'ouest, en se demandant quels secrets
il cache. L'Océan est encore mystérieux.
Personne ne connaît son étendue,
ni ce qu'on trouverait en le traversant.
Christophe Colomb a lu Marco Polo,
ses descriptions du palais au toit d'or de Cipangu
et son évocation de la richesse du grand khan de
Cathay. Il conçoit que ces riches pays se trouvent
peut-être de l'autre côté de l'Atlantique, et qu'il serait
possible de les atteindre en naviguant toujours vers l'ouest.
Alors, il commence à élaborer le projet de ce voyage,
pour atteindre rapidement les richesses des Indes.

« Imago Mundi »

CHRISTOPHE COLOMB TROUVE UN
support pour son projet dans *Imago
Mundi* (image du monde), un livre
de géographie écrit par Pierre d'Ailly.
Ce cardinal français a lu dans le livre
d'Esdras, livre
historique de la
Bible hébraïque,
que la mer ne
recouvre qu'un
septième de la
surface du globe.
Il en conclut que
l'Atlantique n'est
pas très étendu.

*On sait que Colomb lut et
relut* Imago Mundi, *car
son exemplaire est couvert
de notes aux encres différentes.*

*Christophe Colomb
a toujours à portée de
main* Imago Mundi
et les Voyages *de
Marco Polo.*

DES PREUVES
Christophe Colomb lit les géographes
afin de prouver que son voyage est
réalisable. Il calcule les surfaces
de l'Europe et de l'Asie ainsi que
la longueur du tour de la Terre.
N'utilisant que les auteurs
qui peuvent étayer
son projet, il affirme
que l'Atlantique
est peu étendu.

*Cartographe
compétent,
Christophe
Colomb dessine
des cartes pour
montrer que
son projet
est bon.*

TOSCANELLI
Colomb apprend qu'en 1474
le savant italien Paolo
Toscanelli a demandé au roi
de Portugal de financer un
voyage maritime pour l'Asie
par l'ouest. Il écrit à Toscanelli,
qui lui envoie une carte marine
et une lettre l'encourageant
à persévérer dans « sa grande
et noble entreprise ».

LA BIBLE

Fervent chrétien, Christophe Colomb croit que tout le savoir important se trouve dans la Bible, que l'on dit être la parole de Dieu. Les seuls continents mentionnés dans Le Livre sont l'Europe, l'Afrique et l'Asie ; aussi n'imagine-t-il pas l'existence de l'Amérique.

Profondément religieux, Christophe Colomb lit souvent la Bible.

Christophe Colomb porte le prénom du saint patron des marins et des voyageurs.

Christophe Colomb disait probablement le chapelet.

SAINT CHRISTOPHE

Christophe signifie « porte-Christ ». Selon la légende, saint Christophe porta un enfant sur ses épaules pour lui faire traverser une rivière. Plus tard l'enfant lui révéla qu'il était Jésus-Christ. Christophe Colomb pense être un nouveau saint Christophe, élu par Dieu pour apporter le christianisme aux Indes.

MARTIN BEHAÏM

Le géographe allemand Martin Behaïm dessine le monde un peu comme le voit Christophe Colomb. Lui aussi rêve de faire un voyage aux Indes en partant vers l'ouest. Bien qu'il ait été au Portugal à la même époque que Colomb, rien ne prouve que les deux hommes se sont rencontrés.

LE GLOBE DE BEHAÏM
En 1492, Martin Behaïm fabrique un globe terrestre pour montrer qu'un voyage maritime pour les Indes, en partant vers l'ouest, est possible. Le globe de Behaïm est le plus ancien qui nous soit parvenu.

Copie du globe de Behaïm de 1492

Mappemondes

Toute personne éduquée sait que la Terre est ronde, mais on ne connaît pas sa grosseur et l'étendue des mers. Des savants pensent que l'Atlantique recouvre la moitié de la surface du globe. Colomb refuse cette hypothèse, qui rend son voyage inconcevable.

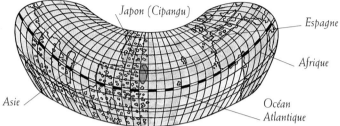

Japon (Cipangu) — *Espagne* — *Afrique* — *Asie* — *Océan Atlantique*

Le monde selon Christophe Colomb
Christophe Colomb pense que seul l'océan Atlantique sépare l'Espagne de l'Asie. Il suppose aussi qu'il y a de nombreuses îles le long de la côte asiatique, où il pourra faire escale.

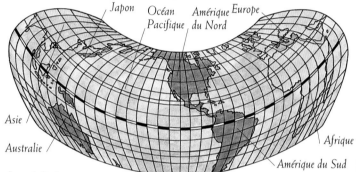

Japon — *Océan Pacifique* — *Amérique du Nord* — *Europe* — *Asie* — *Australie* — *Afrique* — *Amérique du Sud*

La réalité
Christophe Colomb sous-estime les dimensions de la Terre. Elle comprend de vastes continents, les Amériques, où il pense trouver l'Asie, et un autre continent, l'Australie, au sud-est de l'Asie. Un immense océan, le Pacifique, sépare les Amériques de l'Asie.

EN QUÊTE D'UN APPUI ROYAL

CHRISTOPHE COLOMB NE PEUT pas entreprendre son voyage sans l'appui d'un monarque. Il désire arriver aux Indes en tant qu'ambassadeur d'un roi puissant, et il a besoin d'argent pour payer ses bateaux, ses équipages et son approvisionnement. Il est aussi très ambitieux et veut être récompensé de ses découvertes en se faisant anoblir. Aussi, en 1484, il va trouver Jean II de Portugal et lui dévoile son projet. Mais le roi ne croit pas aux histoires de Marco Polo sur Cipangu (le Japon), et il refuse de l'aider. Jean II s'intéresse surtout aux richesses africaines que lui rapportent déjà ses bateaux.

UNE AUDIENCE CHEZ LA REINE

Après son échec au Portugal, Christophe Colomb se rend en Espagne en 1485 pour gagner à sa cause Ferdinand d'Aragon et Isabelle de Castille. Un an plus tard, la reine reçoit Colomb à Cordoue et accueille son projet avec intérêt.

La Reconquête

Ferdinand et Isabelle sont occupés à combattre les Maures qui règnent encore sur le sud de l'Espagne. Ce n'est qu'après la chute de Grenade, le dernier bastion musulman, le 2 janvier 1492, qu'ils peuvent accorder toute leur attention au projet de Colomb.

Armoiries du León et de la Castille

DEVANT LA COMMISSION

Ferdinand et Isabelle ignorent presque tout de la géographie et des voyages d'exploration. Aussi désignent-ils une commission d'experts pour analyser le projet de Christophe Colomb. Ces conseillers sont, pour la plupart, des hommes d'Église, des savants ou des marins.

PRÉSENTATION DU PROJET
Christophe Colomb présente son projet aux experts. Pour étayer ses idées, il leur montre sa carte de l'Atlantique et leur lit des extraits de ses livres de géographie préférés.

Gravure sur bois représentant Ferdinand qui commémore la conquête de Grenade en 1492

Armoiries de Grenade

Retour au Portugal

En 1488, alors qu'il attend la décision des experts, Colomb décide de tenter sa chance à nouveau au Portugal. Il assiste alors au retour triomphal de l'explorateur Bartolomeu Dias, qui vient de doubler le cap de Bonne-Espérance, tout au sud de l'Afrique.

Espérance et tristesse
En doublant le cap du sud de l'Afrique Dias ouvre la route maritime pour les Indes par l'océan Indien. Les Portugais n'ont donc plus besoin de Christophe Colomb, et il revient tristement en Espagne.

Dias fait élever une croix sur le cap pour marquer son appartenance au Portugal.

Santangel dit à la reine Isabelle qu'elle a tort de rejeter le projet de Colomb.

UN AMI À LA COUR

Luis de Santangel, le trésorier royal, est un ami de Christophe Colomb. Il dit à la reine que le projet du marin apportera richesse et gloire à l'Espagne et l'aidera à diffuser la religion catholique. Il lui montre ce que l'Espagne perdra si un autre monarque finance ce voyage.

LE FINANCEMENT DE L'EXPÉDITION

Santangel a une telle confiance en Colomb qu'il arrive à convaincre la reine. Ce d'autant mieux que l'expédition ne coûtera pas cher : elle ne comptera en effet que trois bateaux.

Pièce d'or figurant Ferdinand et Isabelle

LA DÉCISION DES EXPERTS

Les experts disent que Christophe Colomb se trompe et qu'il faut au moins trois ans pour atteindre l'Asie par l'ouest. Les souverains espagnols sont cependant déconcertés par les exigences extraordinaires du marin génois qui demande à être nommé vice-roi des terres qu'il découvrira et un dixième des richesses qu'il trouvera. En janvier 1492, son projet est rejeté.

Les calculs de Christophe Colomb ne convainquent pas les experts.

Un messager royal vient annoncer la bonne nouvelle à Christophe Colomb.

COLOMB EST RAPPELÉ

Pendant ce temps, Christophe Colomb fait ses bagages et part pour la France, bien décidé à présenter son projet à un autre souverain. Mais un messager le rattrape pour l'avertir que la reine a changé d'avis. Il va enfin faire route vers les Indes !

NAVIRES ET ÉQUIPAGES

LE 12 MAI 1492, CHRISTOPHE COLOMB se rend à Palos, un port de la côte sud de l'Espagne, afin de préparer son voyage vers les Indes. Les habitants du lieu ont mécontenté Ferdinand et Isabelle qui, en guise de punition, leur demandent de fournir deux bateaux à Colomb, la *Niña* et la *Pinta*. Le marin loue la *Santa Maria* à son ami Juan de la Cosa. Se procurer des vaisseaux est le plus facile. Il faut ensuite trouver plus de 90 hommes d'équipage et des mousses pour manœuvrer les trois navires.

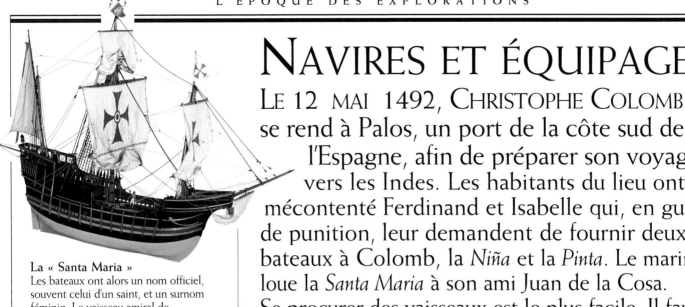

La « Santa Maria »
Les bateaux ont alors un nom officiel, souvent celui d'un saint, et un surnom féminin. Le vaisseau amiral de Christophe Colomb, la *Santa Maria*, a pour surnom *La Gallega* (la Galicienne). Cette nef est le moins rapide des trois navires et le plus difficile à manœuvrer. C'est un lourd navire marchand à la coque ronde.

DES YEUX PERÇANTS
Des vigies se tiennent à l'avant du navire et sur le grand mât, scrutant la mer afin d'apercevoir une terre. Colomb promet une importante somme d'argent à celui qui verra le premier une terre.

Un long cordage passant par ce trou sert à lever et à jeter l'ancre.

À la recherche d'un équipage
Au début, personne, à Palos, ne veut s'embarquer avec Colomb. Les marins n'ont pas envie de risquer leur vie dans un voyage si aventureux.

À BORD DE LA « SANTA MARIA »
Pendant quatre mois, la *Santa Maria* doit héberger un équipage de plus de 40 hommes et mousses, sans compter les cafards, les rats, les poux et les puces ! Christophe Colomb a sa cabine, mais les autres marins dorment sur le pont pour ne pas être trop à l'étroit.

Réserve de voiles

Les repas sont préparés sur une sorte de fourneau, le fogón.

Canot

Fauconneau

ARMEMENT
Christophe Colomb, ne sachant pas comment se comporteront les indigènes des Indes, arme ses navires de petits canons pivotants, les fauconneaux, et de canons plus gros, les bombardes. Les hommes ont prévu épées, arbalètes et mousquets.

POMPE
Chaque jour, les hommes doivent pomper l'eau qui s'infiltre dans la cale. Tous les vaisseaux de bois prennent l'eau.

L'expédition

PEU AVANT LE LEVER DU SOLEIL, LE VENDREDI 3 AOÛT 1492, la petite flotte de Christophe Colomb quitte Palos. Les navires font voile vers les îles Canaries où ils pourront se réapprovisionner. Christophe Colomb croit que le Japon se trouve directement à l'ouest des Canaries, et, qu'avec un vent favorable, il atteindra ce pays en quelques jours.

Les marins ont peint des croix rouges sur les voiles. Ils se placent ainsi sous la protection divine.

La Pinta, sous le commandement de Martín Alonso Pinzón

LE VOYAGE

COMME ILS VOGUENT VERS LES CANARIES, le vent souffle dans les voiles carrées de la *Santa Maria* et de la *Pinta*, et les fait avancer à bonne allure. La *Niña*, pourvue de voiles triangulaires, a des difficultés. Chaque fois que le vent change de direction, elle doit virer de bord. Après quatre jours de mer, le gouvernail de la *Pinta* se rompt et sort de son châssis. Colomb soupçonne un sabotage. On répare tant bien que mal, mais cela ne tient pas très longtemps. Il faut s'arrêter aux Canaries pour effectuer une réparation durable, et Christophe Colomb en profite pour substituer des voiles carrées aux voiles triangulaires de la *Niña*.

JOURNAL DE BORD TRUQUÉ
Sur le journal de bord sont inscrits les renseignements concernant la navigation d'un navire. Dans le sien, Christophe Colomb note des distances inférieures à celles que les navires ont parcourues pour que ses marins ne sachent pas à quel point ils se sont aventurés dans des eaux inconnues.

9 août

LA « NIÑA » EST À NOUVEAU GRÉÉE

La *Niña* gréée de voiles latines comporte trois mâts groupés à l'arrière du navire afin de laisser assez d'espace à l'avant pour la principale voile triangulaire. Quand on installe des voiles carrées, il faut espacer régulièrement les mâts sur le pont. On déplace donc le mât central vers l'avant de la nef.

LE RELÈVEMENT DU MÂT
Le mât est placé à l'avant du navire et les hommes le relèvent avec précaution.

DE NOUVELLES FIXATIONS
Des forgerons sont chargés de fixer le gouvernail de la Pinta.

UN JOURNAL FALSIFIÉ

10 septembre

Christophe Colomb sait que le voyage sera très long et que les marins s'inquiéteront à mesure qu'ils s'éloigneront de l'Espagne. Pour calmer leurs appréhensions, il décide de falsifier le journal de bord. On dit même qu'il rencontra à Madère un homme qui lui confirma l'existence d'îles à l'ouest

LA MER DES SARGASSES

16 septembre

Les navires progressent au-dessus de myriades d'algues d'un vert brillant, parmi lesquelles grouillent de petits crabes. Les marins pensent que ces algues annoncent la terre. En fait, Christophe Colomb vient de découvrir la mer des Sargasses, une vaste région de l'Atlantique, au nord-est des Antilles.

UNE MER D'ALGUES
La mer des Sargasses doit son nom au portugais sargaço, *algue brune.*

Les grands trains d'algues sont maintenus à la surface de l'eau par des amas de vésicules remplis d'air qui ressemblent à des raisins.

Navigation à l'estime

Christophe Colomb navigue plus à l'estime que d'après la position du soleil et des étoiles. Naviguer à l'estime signifie que l'on détermine la position du navire en calculant approximativement la distance parcourue et la direction suivie chaque jour. Chaque soir, l'amiral marque la position estimée du navire sur sa carte.

La vitesse
Colomb, en marin expérimenté, sait déterminer la vitesse de son bateau. Il regarde les bulles à la surface de l'eau, ou il lance une bûche par-dessus bord et mesure le temps qu'elle met pour parcourir la longueur du bateau.

Renard de navigation
Toutes les demi-heures, le timonier enfonce une fiche dans le renard de navigation pour marquer la direction qu'il a prise. En bas du tableau, une deuxième fiche indique la distance parcourue, que Christophe Colomb crie du haut du pont.

Sablier
Pour calculer la distance parcourue, il faut connaître la vitesse du bateau pendant un temps donné. On mesure le temps avec un sablier qu'un mousse retourne toutes les demi-heures.

Il faut une demi-heure pour que le sable s'écoule du vase supérieur dans le vase inférieur.

Renard de navigation, ou table de loch

Le compas indique la direction à l'homme de barre.

LA « NIÑA »

Le plus petit bateau, la *Niña*, est une caravelle à voiles latines. Son nom officiel est la *Santa Clara*. *Niña* signifie « petite fille », et l'on a dû faire un jeu de mots avec le nom de son propriétaire, Juan Niño, qui part comme second. Facile à manœuvrer, même dans la tempête, elle devient vite le bateau favori de Colomb.

Voiles latines

Artimon   *Grand mât*

Mât de misaine

LA « PINTA »

Le plus rapide des trois navires, la *Pinta*, est une caravelle à voiles carrées ou *caravela redonda* (caravelle ronde). La *pinta* est un surnom qui signifie la « fardée » ; on ne connaît pas son nom officiel. Pendant l'expédition, elle avance en tête à la recherche d'une terre.

La rapidité de la Pinta venait de la finesse de sa coque.

Beaupré

Les frères Pinzón

Martín Alonso Pinzón, un capitaine très respecté, s'enthousiasme pour le projet du Génois. Il désire voyager avec lui et joue de son influence pour convaincre son frère cadet, Vincente Yáñez, et les marins de Palos de se joindre à eux.

Vincente Pinzón
La *Niña* est placée sous la direction de Vincente. Plus tard, il dirigera des voyages d'exploration en Amérique du Sud.

Martín Pinzón
Nommé capitaine de la *Pinta*, Martín se brouille avec Colomb durant le voyage. Il conteste le choix des routes et désobéit à son amiral.

LE CHARGEMENT

Colomb achète des provisions pour plusieurs mois : des tonneaux de vin, d'eau, de vinaigre, de poisson salé, de porc et de bœuf, des sacs de riz, de farine, de lentilles, de haricots et de biscuits de mer (pain dur et plat). On charge des caisses de boulets de canon, de poudre, de carreaux d'arbalètes, de lignes et d'hameçons, et des marchandises (bonnets et verroterie).

LE LESTAGE DU NAVIRE
Des pierres lestent le navire afin de le stabiliser.

LE TIMONIER
Le timonier, chargé de la barre, dirige le navire sous le pont, obéissant aux ordres que lui crie le pilote, placé au-dessus de lui.

Des fauconneaux sont montés sur les pavois (bordages s'élevant au-dessus d'un pont).

Cabine de Colomb

Poules destinées à fournir des œufs et à être mangées

La cargaison est entreposée dans la cale.   *Pilote*

Liste de contrôle de la cargaison

Au sommet des navires flottent les armoiries d'Espagne.

L'amiral Christophe Colomb navigue sur la Santa Maria.

« J'ai décidé de noter tous les événements de chaque journée, avec tous les détails de ce que je fais, de ce que je vois, et de ce que je vis au cours de ce voyage… Avant tout, je dois dormir le moins possible, car il me faut veiller à bien suivre ma route. Tout ceci ne sera pas une mince affaire. »

Christophe Colomb, extrait du journal de bord de son expédition, 1492

Peinture du XIXe siècle représentant la flotte de Christophe Colomb

La Niña, commandée par Vincente Yáñez Pinzón, prend son départ avec des voiles latines.

AMÉRIQUE DU NORD

OCÉAN ATLANTIQUE

Vents dominants

ESPAGNE

Palos

10 octobre
Menace de mutinerie

25 septembre
Fausse joie

AÇORES

12 octobre
Abordage à
San Salvador

9 août
La Niña
à nouveau gréée

MER DES SARGASSES

10 septembre
Journal de bord
falsifié

ÎLES
CANARIES

AFRIQUE

HAÏTI

7 octobre
Vol d'oiseaux

16 septembre
Mer des Sargasses

La route idéale

Dans l'Atlantique Nord, l'alizé souffle en suivant un cercle immense dans le sens des aiguilles d'une montre. Partis des Canaries vers l'ouest, les navires ont ce vent derrière eux. S'ils étaient partis de l'Espagne, ils auraient dû l'affronter. Est-ce le hasard ou l'expérience qui a conduit Colomb à choisir la route idéale ?

Terre ! Enfin !

Le vendredi 12 octobre, à deux heures du matin, une vigie de la *Pinta*, Rodrigo de Triana, repère une pâle falaise au clair de lune. C'est la terre, enfin ! Martín Alonso Pinzón fait tirer un coup de canon pour annoncer la bonne nouvelle aux autres navires. Colomb décide d'attendre l'aube pour aborder. Au petit jour, il se rend compte qu'ils sont en vue d'une île. Accompagné de gens armés, Christophe Colomb se fait conduire à la côte à bord d'un canot.

« Il s'agenouilla sur le sol et le baisa, versant des larmes de joie et de reconnaissance envers l'infinie Miséricorde qui lui avait permis d'atteindre la terre. Puis l'amiral se releva et baptisa l'île San Salvador [saint Sauveur]. »

Ferdinand Colomb,
La Vie de l'amiral,
vers 1530

SUR LE RIVAGE

12 octobre

Tandis que le détachement armé débarque, Christophe Colomb déclare que l'île, qu'il baptise San Salvador, appartient aux souverains d'Espagne. À l'écart sur la plage, quelques indigènes taïnos s'enfuient, stupéfaits. Cette île s'appelait Guanahani en taïno et il s'agit probablement de Watling dans l'archipel des Bahamas.

Christophe Colomb pleure de joie et de soulagement, car il est certain d'être arrivé aux Indes.

LA VIE À BORD

L'emploi du temps des marins consiste en quatre heures de travail suivies de quatre heures de repos. La première moitié de l'équipage manœuvre le navire tandis que les autres se reposent. Le voyage est serein et le vent, régulier. Le seul problème, pour les marins, est sans doute l'ennui.

LE LOISIR

Pendant leur temps libre, les marins dorment, essaient d'attraper du poisson et s'amusent comme ils le peuvent. Ils jouent aux dés, se racontent des histoires ou se plaignent de la longueur du voyage. Ils se lavent rarement, mais quelques-uns sautent parfois par-dessus bord pour se baigner.

LA FOI EN DIEU

Les marins sont très pieux et prient Dieu et les saints de leur accorder un voyage sans périls. Tous les soirs, ils chantent un cantique en l'honneur de la Vierge Marie, le Salve Regina.

DES REPAS CHAUDS

Les marins ont droit à un repas chaud par jour, du ragoût, par exemple, qu'ils préparent sur le fogón. Mais les jours de pluie ou de gros temps, on ne peut pas garder le feu allumé, et l'équipage doit se contenter d'un repas froid.

 25 septembre

FAUSSE JOIE

Martín Alonso Pinzón, sur la *Pinta*, crie qu'il voit la terre au sud-ouest. Christophe Colomb s'agenouille et rend grâce à Dieu, et tous les hommes chantent un cantique. Mais le lendemain il s'avère que la terre n'est qu'un amas de nuages.

Christophe Colomb explique à l'équipage que ce serait de la folie de revenir maintenant, si près du but.

Sur la Niña, l'homme de vigie confirme qu'il voit aussi la terre.

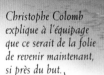 **7 octobre**

SUIVEZ LES OISEAUX !

Les navigateurs aperçoivent de grands vols d'oiseaux migrateurs se dirigeant vers le sud-ouest. Christophe Colomb pense qu'ils vont vers la terre et ordonne de changer de direction pour les suivre.

 10 octobre

MENACE DE MUTINERIE

Les semaines s'écoulent sans que la terre apparaisse et les marins deviennent anxieux et agités. Le 10 octobre, les hommes de la *Santa Maria* s'assemblent autour de Colomb et lui demandent d'abandonner son projet insensé et de les ramener chez eux. Il tente de les calmer, mais il refuse de céder à leur demande.

> « Tous [les Taïnos] vont nus comme leur mère les a mis au monde, les femmes également […] et tous ceux que je vis étaient jeunes, de sorte que je n'en vis aucun âgé de plus de trente ans, très bien faits, avec des corps harmonieux et de très beaux visages… »
>
> Christophe Colomb,
> extrait du journal de bord
> de son premier voyage,
> jeudi 11 octobre 1492

LES HOMMES VENUS DU CIEL

CHRISTOPHE COLOMB ABORDE aux îles Bahamas, alors peuplées de Taïnos. Les indigènes sont très surpris de voir des hommes barbus et vêtus. Ils pensent que les arrivants viennent du ciel. Dès qu'ils ont surmonté leur peur, ils s'efforcent de plaire aux étrangers mais aucune communication n'est possible. Christophe Colomb décide que ces « Indiens » feront de très bons esclaves.

Christophe Colomb sait que, lorsqu'il reviendra en Espagne, les Taïnos feront grande impression à la cour.

Deux des prisonniers réussissent à s'échapper. Les autres ne reverront jamais leur pays.

DANS LES VILLAGES

Christophe Colomb voyage d'île en île et visite les villages taïnos. Ces agglomérations sont parfois de petites villes, regroupant un millier de huttes et 5 000 habitants.

Les Taïnos tissent le coton pour fabriquer pagnes et hamacs.

Les Taïnos sont d'habiles potiers.

Les Taïnos écrasent le maïs pour en faire de la bouillie.

Capture de guides
Christophe Colomb est heureux d'avoir enfin trouvé une terre, mais il est clair qu'il n'est pas à Cipangu. Où est le palais au toit d'or ? Il a besoin de guides pour trouver le Japon, alors il capture sept Taïnos mais il ne réussit pas à parler avec eux autrement que par des gestes.

De nouveaux aliments

TOUT est nouveau, dans les îles, pour Colomb et ses hommes. Ils sont les premiers Européens à goûter du maïs, qui nous semble commun, mais ils évitent lézards, araignées et vers de terre…

Racines de manioc
Les Taïnos montrent comment les racines de manioc, toxiques, deviennent comestibles après avoir été râpées et trempées. Le manioc séché sert à faire du pain.

L'ananas
C'est l'un des aliments que les Espagnols apprécièrent d'emblée.

Le maïs
Le maïs est mangé grillé ou écrasé en bouillie.

Les piments rouges
Les piments rouges, très forts, rappellent à Christophe Colomb les épices qu'il espérait trouver aux Indes.

La culture taïno

LES TAÏNOS ADORENT UN GRAND ESPRIT qui vit dans le ciel, d'où ils pensent que Colomb vient. Ils croient vivre, sur terre, entourés d'esprits, appelés zémis. Certains sont des forces de la nature alors que d'autres sont les esprits des ancêtres.

De hautes huttes
Les huttes sont bâties avec des perches. Leurs murs sont faits de roseaux, et leurs toits, élevés et très en pente, sont recouverts de palmes.

Certains zémis sont des pierres à peine travaillées, d'autres sont joliment sculptés.

On fixe une planche sur la tête des bébés pour leur aplatir le front.

Parures
Les Taïnos vivent nus mais se peignent de motifs colorés. Les nez et les oreilles sont percés et ornés de bijoux en or ou de pierres.

Zémis
Les Taïnos gardent dans leurs huttes des poteries ou des zémis sculptés afin que les esprits les protègent.

Les Taïnos ne connaissent pas les métaux durs, et les pointes de lances et de flèches sont des dents de poisson.

OÙ EST LE JAPON ?
Aucun indigène n'a entendu parler de Cipangu (le Japon) ou du grand khan de Cathay.

Les Espagnols sont accueillis par des démonstrations de joie. Ils offrent aux Taïnos des bonnets de laine et de la verroterie.

Grelots fixés aux pattes des faucons de chasse

Du cuivre contre de l'or
Les Taïnos apprécient les grelots de fauconnerie. Ils échangent leurs ornements de nez en or contre ces grelots de cuivre, qu'ils portent en boucles d'oreilles. Colomb est déçu de voir que les indigènes n'ont que très peu d'or, et que leurs ornements sont minces comme des pelures d'oignon.

Les pirogues sont faites d'un tronc d'arbre évidé.

INDE OU PARADIS ?
Christophe Colomb, émerveillé par les lieux et voyant les indigènes aller nus sans honte, se demande s'il n'est pas arrivé au Paradis terrestre, qui figure alors sur toutes les mappemondes. Il pense aussi être arrivé au large de l'Inde et conclut que ces indigènes sont des Indiens. Cette méprise fait que nous appelons encore « Indiens » les indigènes d'Amérique.

DES CHIENS TACITURNES
Les Taïnos engraissent des chiens pour les manger. Les Espagnols s'étonnent que ces chiens n'aboient jamais.

Les pirogues taïnos
Colomb explore les îles, les nomme et les déclare propriétés de l'Espagne. De nombreux Taïnos viennent l'accueillir dans leurs pirogues, pour voir les hommes venus du ciel. Ils apportent des perroquets, des ballots de coton, des arcs et d'autres objets à troquer.

NAUFRAGÉS SUR HISPANIOLA

LES GUIDES DE CHRISTOPHE COLOMB

mentionnent une grande île, au sud, qu'ils appellent Cuba. Pensant qu'il s'agit du Japon, l'amiral fait voile sur Cuba, mais il ne trouve pas de palais au toit d'or. Cependant, les Taïnos cubains lui suggèrent de visiter une autre île, plus à l'est, qui s'appelle Haïti et est riche en or. Le 6 décembre 1492, Colomb y débarque. Il est saisi par la beauté des lieux et heureux de constater que les Taïnos haïtiens portent de nombreux ornements en or. Il appelle l'île la Isla Española (l'île espagnole), qui deviendra plus tard Hispaniola.

Colère de Christophe Colomb
Le 21 novembre, alors que la flotte se dirige vers le sud, le long de la côte cubaine, la *Pinta* fait voile vers l'est. Lassé d'obéir aux ordres de l'amiral, Martín Pinzón décide de poursuivre seul l'exploration. Cela rend furieux Colomb qui en veut au déserteur de partir avec le bateau le plus rapide.

Les hamacs
Les Taïnos dorment dans des filets de coton accrochés aux poteaux des maisons. Ils les appellent *hamaca*. Les marins apprécient ces couches qui sont adoptées sur les bateaux européens. On les appelle hamacs.

ÉCHOUÉ !
La veille de Noël 1492, la *Santa Maria* s'échoue sur des rochers au large d'Hispaniola. Tous les efforts pour la renflouer sont vains. Lorsque des trous s'ouvrent dans la coque, qui commence à se remplir d'eau, Christophe Colomb donne l'ordre d'abandonner le navire.

Tout ce qui peut être utile est sorti du bateau.

Les feuilles de tabac sont roulées pour en faire des cigares.

Fumée d'herbe à boire
Les Espagnols s'étonnent de voir les Taïnos cubains « boire » la fumée de feuilles roulées. En fait, ils fument du tabac et ils inhalent aussi la fumée par un tube en bois, appelé *tobaco*, qu'ils introduisent dans une narine.

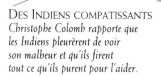

DES INDIENS COMPATISSANTS
Christophe Colomb rapporte que les Indiens pleurèrent de voir son malheur et qu'ils firent tout ce qu'ils purent pour l'aider.

OPÉRATION DE RÉCUPÉRATION
Le lendemain, l'équipage retourne au navire pour récupérer tout ce qui peut être sauvé. Il décharge les provisions et la pacotille dans les canots de la Santa Maria et de la Niña.

12 octobre 1492
La flotte atteint San Salvador.

OCÉAN ATLANTIQUE

6 janvier 1493
Christophe Colomb retrouve Pinzón.

24 décembre 1492
Échouement de la Santa Maria.

16 janvier 1493
Christophe Colomb met le cap sur l'Espagne.

CUBA

21 novembre 1492
Martín Pinzón déserte avec la Pinta.

MER DES CARAÏBES

Navidad
HISPANIOLA
(HAÏTI)

JAMAÏQUE

« L'amiral oublia presque le chagrin que lui causait la perte de son navire, car il crut que Dieu l'avait fait échouer à cet endroit pour qu'il y fonde une colonie... »

Ferdinand Colomb,
La Vie de l'amiral,
vers 1530

EXPLORATION DES ÎLES

Christophe Colomb explore la côte nord de Cuba, qu'il croit être une partie du continent asiatique. Puis il fait voile jusqu'à Hispaniola (Haïti). Martín Pinzón y est déjà passé et a même donné son prénom à un fleuve, le Martín Alonso.

La désertion de Pinzón et l'échouement de la Santa Maria ne laissent qu'un seul bateau à Christophe Colomb, la Niña. Il ne peut donc plus poursuivre son exploration.

Le fort est construit avec les madriers pris sur la Santa Maria.

Une palissade protège la maison des hommes.

La Santa Maria ne coule pas mais reste échouée sur les rochers.

De nombreux Taïnos arrivent sur leurs longues pirogues pour aider l'équipage à décharger les provisions du navire.

Les Taïnos sont terrifiés par le bruit du canon que l'on met en action dans l'épave de la Santa Maria.

LA CONSTRUCTION D'UN FORT

La *Niña* étant trop petite pour ramener tous les hommes en Espagne, 39 veulent rester sur l'île. Pour les loger, l'amiral fait construire un fort – la première colonie européenne aux Amériques. On l'appelle Navidad (Noël), puisque sa construction a commencé le jour de la Nativité. Colomb promet de revenir quelques mois plus tard avec un approvisionnement. Les volontaires sont heureux de rester, croyant pouvoir s'enrichir avec l'or d'Hispaniola.

COUPS DE CANON

Les Taïnos parlent aux marins d'un peuple féroce, les Caribes (Caraïbes), qui font des incursions sur leur île pour en ramener des prisonniers qu'ils tuent et mangent. Colomb les assure que les Espagnols de Navidad les protégeront des Caribes. Pour impressionner les Taïnos, il fait tirer des coups de canon. La *Niña* repart pour l'Espagne le 4 janvier 1493.

L'HEURE DU RETOUR

En voyant l'épave de son vaisseau amiral, Christophe Colomb comprend qu'il est temps de revenir en Espagne. Il lui faut rendre compte de ses découvertes aux souverains, et il ne veut pas que Martín Pinzón arrive le premier et en retire toute la gloire.

> « Les " Rois catholiques "…
> l'attendaient sur un trône
> magnifique, surmonté d'un
> baldaquin doré. Lorsqu'il
> s'approcha pour leur baiser
> les mains, ils se levèrent
> pour l'accueillir comme
> s'il était un grand seigneur
> et le prièrent de s'asseoir
> auprès d'eux. »
>
> Ferdinand Colomb,
> *La Vie de l'amiral,*
> vers 1530

RETOUR TRIOMPHAL

APRÈS UN VOYAGE DE RETOUR où il doit affronter des tempêtes, Christophe Colomb revient à Palos, en Espagne, le 15 mars 1493. Il se rend ensuite, par voie terrestre, à Barcelone, où Ferdinand et Isabelle le reçoivent magnifiquement. Le retour de Martín Pinzón est très différent. Il arrive le premier en Espagne à bord de la *Pinta*, mais les souverains refusent de le recevoir sans Colomb. Pinzón retourne chez lui, à Palos où l'on dit qu'il mourut de dépit.

UNE RÉCEPTION ROYALE

Le roi et la reine accueillent l'explorateur dans la plus belle salle de leur palais. Avec ses prisonniers taïnos et leurs perroquets multicolores, il produit une vive impression. Il dit alors qu'il veut retourner à Hispaniola pour y fonder une colonie espagnole.

Les perroquets aux vives couleurs témoignaient aussi de la réussite de l'expédition vers les Indes.

Un message à la mer

Pendant le voyage de retour, la mer est si agitée que Colomb craint le naufrage. De peur que, s'il venait à mourir, Martín Pinzón recueillît la gloire de l'expédition, et inquiet pour les hommes restés à Hispaniola, il écrit un récit du voyage, le place dans un baril qu'il jette à la mer.

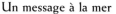

L'accueil du héros

La nouvelle de l'exploit de Christophe Colomb est connue à Barcelone avant son retour. Son arrivée, en avril 1493, fait sensation. Tout le monde se presse dans les rues pour voir et acclamer l'homme qui a découvert la route maritime des Indes.

Statue de Christophe Colomb, sur le port de Barcelone, commémorant sa grande découverte

Les Taïnos disent l'Ave Maria, une prière à la Vierge Marie que Christophe Colomb leur a apprise.

Les Taïnos restent interdits devant le spectacle de la cour.

L'explorateur offre aux souverains de l'or, des piments et d'autres souvenirs de son long p[...]

« Grand amiral de la mer Océane »

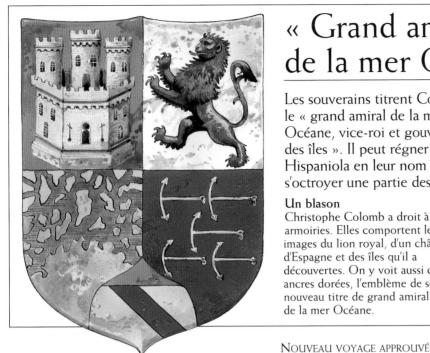

Les souverains titrent Colomb le « grand amiral de la mer Océane, vice-roi et gouverneur des îles ». Il peut régner sur Hispaniola en leur nom et s'octroyer une partie des biens.

Un blason

Christophe Colomb a droit à des armoiries. Elles comportent les images du lion royal, d'un château d'Espagne et des îles qu'il a découvertes. On y voit aussi cinq ancres dorées, l'emblème de son nouveau titre de grand amiral de la mer Océane.

Colomb, « porte-Christ »
Colomb commence alors à signer ainsi ses documents. Les trois premières lignes signifie : «Sanctus, Sanctus Ave Sanctus, Xristofore Maria Yoannes ». La dernière : « porte-Christ ».

DESCRIPTION D'HISPANIOLA

Colomb décrit la beauté d'Hispaniola. Il montre aux souverains l'or qu'il a rapporté de l'île, et il explique que ce n'est là qu'un échantillon de ses richesses.

NOUVEAU VOYAGE APPROUVÉ
Le roi approuve sans réserve le projet de Colomb de retourner à Hispaniola avec une grande flotte.

Isabelle est profondément touchée à la vue des aimables Taïnos.

INTERROGÉ PAR LA COUR
Le roi, la reine et les membres de la cour royale bombardent Christophe Colomb de questions sur ses huit mois de voyage.

LE BAPTÊME DES INDIENS

Cette plaque, dans la cathédrale de Barcelone, commémore le baptême des prisonniers taïnos. Le roi et la reine sont les parrain et marraine, et ils leur donnent des noms espagnols chrétiens. Isabelle est ravie qu'ils se convertissent.

L'AVAL DU PAPE

Christophe Colomb a proclamé les îles Caraïbes terres espagnoles. Afin de rendre légale leur propriété, les « Rois catholiques » doivent obtenir l'accord du pape Alexandre VI, qui, espagnol, le leur donne volontiers. Les Taïnos deviennent sujets espagnols à leur insu.

La colonie espagnole

« Hispaniola est une île merveilleuse. Ses montagnes, collines, plaines et prairies sont fertiles et magnifiques. On pourrait y faire toutes sortes de plantations et y élever des bestiaux. On pourrait aussi construire des villes et des villages sur des sites enchanteurs... on y voit de grands fleuves dont la plupart contiennent de l'or. »

Extrait d'une lettre écrite par Christophe Colomb le 15 février 1493, lors de son premier voyage

E N SEPTEMBRE 1493, SIX MOIS APRÈS SON RETOUR triomphal, Christophe Colomb repart à Hispaniola avec une flotte de dix-sept bateaux qui transportent plus de 1 200 hommes ainsi que des chevaux, des moutons, des cochons, des graines et tout ce dont il a besoin pour fonder une colonie aux Indes. Cette fois, il n'a aucun mal à trouver des hommes pour l'accompagner. Des milliers d'Espagnols de toutes conditions (gentilshommes, prêtres, soldats, artisans et agriculteurs) se portent volontaires, désireux d'avoir leur part des richesses d'Hispaniola.

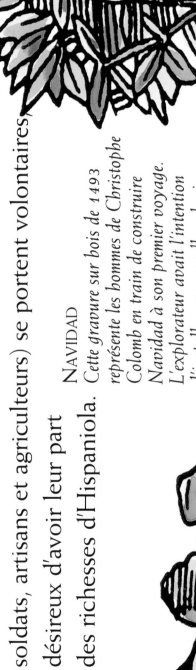

NAVIDAD
Cette gravure sur bois de 1493 représente les hommes de Christophe Colomb en train de construire Navidad à son premier voyage. L'explorateur avait l'intention

L'artiste, ne connaissant pas Navidad et Hispaniola, dessine un paysage et un château typiquement européens.

LE DEUXIÈME VOYAGE

LE 27 NOVEMBRE 1493, Christophe Colomb revient à Navidad où il a laissé trente-neuf hommes dix mois auparavant. Il se réjouit à l'idée de les revoir et il est certain qu'ils auront trouvé de l'or. Il est horrifié d'apprendre qu'ils sont tous morts et que leur fort a été détruit. Les Taïnos, lassés des exactions des nouveaux venus, ont réussi à s'en débarrasser. Christophe Colomb, méfiant, fait donc voile vers l'est, afin de fonder une nouvelle colonie dans une autre île.

La grande flotte
Cette image montre les dix-sept navires de la seconde expédition de Christophe Colomb quittant l'Espagne à Cadix le 25 septembre 1493 ; Ferdinand et Isabelle lui disent au revoir. De retour le 4 juin 1496, il a découvert la Guadeloupe, la Jamaïque, Porto Rico et Cuba.

LE DESTIN DE NAVIDAD
Les Taïnos rapportent à Colomb que les marins de Navidad se sont disputés et organisés en groupes rivaux. Certains trouvèrent la mort au cours de bagarres entre Espagnols, d'autres moururent de maladie. Mais la plupart furent tués lors de la prise de leur fort par un cacique (roi) appelé Caonabo.

Quelques bâtiments importants étaient en pierre, mais les Espagnols vivaient surtout dans de petites huttes au toit de chaume.

Caonabo attaqua le fort de nuit.

Les îles Cannibales
En allant à Hispaniola, Colomb explore les îles des féroces Caribes qui donnent leur nom aux îles Caraïbes et au mot « cannibale ». Il voit alors les reliefs de festins anthropophages. En 1503, Amerigo Vespucci sera le premier à fournir des détails sur l'anthropophagie rituelle des Indiens. À côté du « bon sauvage » apparaît le féroce cannibale…

NOUVELLES EXPLORATIONS
Alors que les colons s'installent à Hispaniola, Colomb part explorer les îles sur la *Niña*, en avril 1494. Il longe la côte sud de Cuba, persuadé qu'il s'agit du continent asiatique, et il atteint la Jamaïque où il ne trouve aucune des richesses de l'Asie. En septembre, il tombe malade. Souffrant de fièvre et d'une cécité temporaire, il retourne à Hispaniola, déçu.

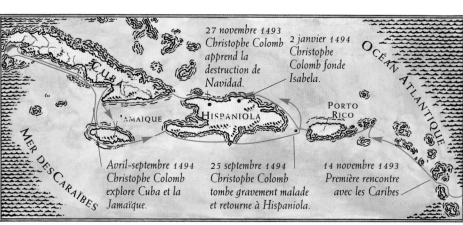

27 novembre 1493 Christophe Colomb apprend la destruction de Navidad.

2 janvier 1494 Christophe Colomb fonde Isabela.

OCÉAN ATLANTIQUE

CUBA

JAMAÏQUE

HISPANIOLA

PORTO RICO

MER DES CARAÏBES

Avril-septembre 1494 Christophe Colomb explore Cuba et la Jamaïque.

25 septembre 1494 Christophe Colomb tombe gravement malade et retourne à Hispaniola.

14 novembre 1493 Première rencontre avec les Caribes

Des maladies contagieuses

Espagnols et Taïnos se transmettent des maladies. Nombre d'Espagnols contractent des fièvres tropicales et la syphilis, tandis que les Taïnos meurent par milliers de la variole et de la rougeole.

Le virus de la variole
Les Espagnols apportent à leur insu le virus de la variole. En Europe, il tue de nombreux enfants, mais la plupart des adultes sont immunisés. Pour les Taïnos, la maladie est mortelle.

Les moustiques
Une semaine après leur arrivée, 400 colons attrapent une maladie inconnue, probablement par les moustiques. Ces derniers prospéraient si bien à Isabela que l'on nomma Colomb « l'amiral des moustiques ».

Les moustiques femelles boivent le sang, transmettant ainsi les fièvres tropicales.

Les flamants roses
Au cours de son exploration de l'archipel de Cuba, Christophe Colomb s'émerveille au spectacle de myriades d'échassiers colorés. Vus de loin, ils semblent être des troupeaux de moutons roses. Ce sont des flamants, mot qui vient de l'espagnol flamenco (flamboyant).

ISABELA
Christophe Colomb appelle sa nouvelle capitale Isabela, en l'honneur de la reine. Il en choisit l'emplacement en croyant, à tort, qu'il se trouve à proximité de mines d'or. C'est un endroit malsain, infesté de moustiques, qui est abandonné dès 1500.

*LA PREMIÈRE ÉGLISE
À Isabela est bâtie la première église des Amériques.*

Les caciques taïnos
Hispaniola comprend plusieurs royaumes gouvernés par un cacique. De nombreux chefs de moindre importance commandent les villages. Les caciques sont traités avec respect et portés sur des litières. Pour gouverner Hispaniola, Christophe Colomb doit les gagner à sa cause ou les combattre.

Des guides indigènes conduisent les explorateurs à l'intérieur des terres.

Isabela est construite autour d'une place publique, comme une ville espagnole.

EXPLORATION DE L'INTÉRIEUR
Christophe Colomb veut trouver de l'or pour l'expédier aux souverains espagnols et justifier les frais engagés pour la colonie. En janvier 1494, il envoie un groupe armé dans les terres, en quête de mines d'or. Les hommes sont conduits par un soldat redoutable, Alonso de Hojeda.

REPÈRES

• Au cours de l'année 1494, les deux tiers des colons d'Isabela meurent.

• En 1492, vivent en Amérique environ 100 millions d'Indiens. Vers 1600, les maladies européennes en auraient décimé 90 millions. C'est le plus grand désastre sanitaire de l'histoire.

• Un Espagnol écrit que les Indiens « mouraient si facilement que la vue ou l'odeur d'un Espagnol suffisait à leur faire rendre l'âme ».

• Une forme bénigne de syphilis existe en Europe, moins virulente que la variété américaine. La première épidémie a lieu en Italie, en 1494.

TERREUR À HISPANIOLA

APRÈS SON RETOUR À HISPANIOLA, en septembre 1494, Christophe Colomb tombe malade et le reste durant cinq mois. Pendant ce temps ses frères cadets, Diego et Bartolomé, qui ont traversé l'Océan avec lui, gouvernent la colonie. Parce qu'ils sont génois, les trois frères ne sont pas aimés des Espagnols. En outre, ceux-ci commencent à penser que Colomb leur a menti à propos des richesses d'Hispaniola. Tandis que l'amiral reste alité, des groupes d'Espagnols mécontents parcourent l'île et pillent les villages taïnos. Les Taïnos ripostent.

REPÈRES

- Entre 1494 et 1496, un tiers des Taïnos d'Hispaniola perdent la vie.
- Les Taïnos meurent de maladie, de faim et de surmenage. Incapables de supporter la domination espagnole, d'autres se suicident en avalant le poison du manioc.
- En 1492, on peut estimer que 300 000 Taïnos vivent sur Hispaniola et il n'en serait plus rester que 500 en 1548.
- En 1510, les colons commencent à importer des esclaves africains à Hispaniola, pour remplacer les Taïnos.

UNE BATAILLE DÉCISIVE

Au début de sa convalescence, Colomb apprend que les caciques les plus puissants ont levé une armée de plusieurs milliers d'hommes. En mars 1495, il les affronte. Ses 200 soldats sont largement inférieurs en nombre, mais leur armement est plus efficace et ils anéantissent l'armée adverse.

DES BÂTONS À TONNERRE
La bataille commence dans le grondement assourdissant des arquebuses. Ces armes, évidemment inconnues des indigènes, les effraient fortement.

Les Taïnos, qui n'ont jamais vu de chevaux, sont terrifiés à la vue des cavaliers espagnols.

Le règne de la terreur
Les Taïnos se vengent des incursions dans les villages en tendant des embuscades aux colons isolés. Christophe Colomb ne veut pas contrarier ses hommes et, au lieu de punir leur cruauté, il les envoie en expédition contre les Taïnos. Ceux-ci sont tués par centaines ou asservis à Isabela.

ENVOI D'ESCLAVES

En 1495, Colomb envoie 500 esclaves taïnos en Espagne. Il espère compenser l'or qu'il n'a pu trouver. Les « Rois catholiques » n'apprécient pas ce présent. Ils l'ont envoyé aux Indes pour convertir les sauvages au christianisme, et non pour les réduire en esclavage.

CHIFFRE DES MORTS
Sur les 500 esclaves, 200 périssent durant le voyage vers l'Espagne. Les autres meurent peu après leur arrivée.

Armes et armures

Les Espagnols sont des soldats aguerris qui ont combattu pendant des lustres les Maures en Espagne. Ils sortent l'épée et se servent d'armes à feu, alors que les Taïnos ne sont que médiocrement armés.

Casque de cavalerie
Des casques comme celui qui figure ici tiennent très chaud aux Espagnols qui les abandonneront progressivement.

Arquebuse
L'arquebuse est mise à feu par le contact de la mèche enflammée avec de la poudre à canon.

Épée
Les épées espagnoles sont à double tranchant et fort pointues.

Plastron
Les flèches taïnos s'écrasent contre ces chauds plastrons d'acier.

Arbalète
Le carreau d'arbalète part avec force et blesse grièvement l'ennemi.

Certains Taïnos combattent avec bravoure, mais leurs lances, dont la pointe est une arête de poisson, se montrent peu efficaces.

CHIENS DE GUERRE
On dit qu'un seul chien espagnol vaut dix hommes dans le combat contre les Indiens.

Indiens apportant leur tribut d'or aux Espagnols

Les Taïnos, nus, sont absolument sans défense contre les armes espagnoles.

DES TRIBUTS D'OR

Les vaincus sont contraints de trouver de l'or pour leurs nouveaux maîtres. Tous les trois mois, chaque Taïno adulte doit rapporter un grelot de fauconnerie plein de poussière d'or. Malheureusement il y a beaucoup moins de ce métal précieux à Hispaniola que ne le suggère cette illustration. Les indigènes n'en trouvent jamais assez pour satisfaire les Espagnols.

Les Taïnos fuient en tous sens.

Christophe Colomb retourne en Espagne
Des colons revenus en Espagne se sont plaints auprès du roi et de la reine de la manière dont Christophe Colomb gouverne Hispaniola. En mars 1496, l'amiral doit revenir sur la *Niña*, pour se défendre.

LA CONQUÊTE D'HISPANIOLA

Christophe Colomb continue la conquête de l'île. Le cacique Caonabo, qui a dévasté Navidad, est capturé par le rusé Alonso de Hojeda, qui lui fait croire que les fers qu'il lui passe aux mains et aux pieds sont des ornements royaux.

Avant de s'en aller, Colomb nomme son frère Bartolomé gouverneur d'Hispaniola.

Un nouveau continent

L ORS DE SON TROISIÈME VOYAGE, EN 1498, Christophe Colomb découvre un long littoral, interrompu par l'embouchure d'un fleuve majestueux, l'Orénoque, dont l'eau se déverse dans la mer sur des kilomètres. Un fleuve aussi imposant ne pouvait provenir d'une île. Pour Colomb, il s'agit du Gange, à la fois fleuve de l'Inde et mythique cours d'eau du Paradis terrestre.

Flotte de Christophe Colomb voguant de l'île de la Trinité au continent

À quelques kilomètres du continent, Christophe Colomb découvre une grande île, qu'il appelle la Trinité en l'honneur de la sainte Trinité (Dieu le Père, le Fils et le Saint-Esprit).

Gravure sur bois du XVIᵉ siècle représentant des scènes du troisième voyage

Les Indiens du continent portaient, des perles qu'ils pêchaient en plongeant de leurs pirogues.

UN AUTRE MONDE

LE ROI ET LA REINE S'INQUIÈTENT DES

événements d'Hispaniola, mais ils n'ont pas encore perdu confiance en Christophe Colomb. Ils acceptent de financer un troisième voyage d'exploration, qui commence en mai 1498. Christophe Colomb est étonné de découvrir un continent, « un autre monde », comme il le dit. Après avoir suivi la côte en partie, il revient à Hispaniola. Il trouve l'île dans un désordre épouvantable : la moitié des Espagnols se sont révoltés contre son frère Bartolomé.

TÉMOIGNAGE

« J'en viens à penser que je me trouve devant un vaste continent inconnu. C'est ce grand fleuve et l'eau douce dans la mer qui me conduisent à cette idée. S'il s'agit vraiment d'un continent, c'est un fait merveilleux. »

Christophe Colomb,
journal de son troisième voyage,
14-15 août 1498

Une lame de fond
Non loin de la Trinité, les navires sont emportés par une vague gigantesque, peut-être causée par un volcan sous-marin. La lame soulève les navires, avant de les précipiter si bas que les marins voient le fond de la mer.

Un public de singes
Le 5 août 1498, Colomb aborde sur le continent. Pour déclarer l'appartenance de la terre à l'Espagne, il lui faut un public indigène. Il ne trouve comme habitants que des singes, et remet la cérémonie au lendemain, où des Indiens pacifiques viennent à sa rencontre.

LE TROISIÈME VOYAGE

Colomb, à nouveau malade, doit interrompre l'exploration du continent. Il revient à Hispaniola et atteint Saint-Domingue, la nouvelle capitale de l'île, le 31 août 1498. Son frère Bartolomé a fondé cette ville pour remplacer Isabela, infestée de moustiques.

Les Taïnos doivent travailler dur pour cultiver les terres de leurs maîtres espagnols.

L'« ENCOMIENDA »

Christophe Colomb institue un système féodal, l'*encomienda*, sur les îles qu'il a conquises. Chaque Espagnol reçoit pour trois générations des terres et ses habitants dont il peut disposer. Les Taïnos doivent de surcroît payer un tribut à leurs maîtres. En échange, les Espagnols doivent protéger et catéchiser les Indiens…

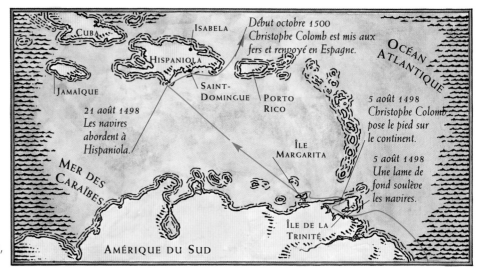

CUBA

ISABELA

*Début octobre 1500
Christophe Colomb est mis aux fers et renvoyé en Espagne.*

OCÉAN ATLANTIQUE

HISPANIOLA

JAMAÏQUE

SAINT-DOMINGUE

PORTO RICO

*21 août 1498
Les navires abordent à Hispaniola.*

*5 août 1498
Christophe Colomb pose le pied sur le continent.*

ÎLE MARGARITA

*5 août 1498
Une lame de fond soulève les navires.*

MER DES CARAÏBES

ÎLE DE LA TRINITÉ

AMÉRIQUE DU SUD

Espagnols pendus pour s'être révoltés contre les frères Colomb

Des idées étranges

Colomb a des difficultés à intégrer dans sa vision du monde ce continent inconnu, nullement mentionné dans la Bible. Aussi imagine-t-il qu'il peut s'agir du paradis terrestre. La beauté des lieux l'incite à le penser.

Vers le paradis terrestre

Colomb écrit : « Je ne soutiens pas que le Paradis terrestre ait la forme d'une montagne escarpée, telle que la décrivent ceux qui ont écrit. Je dis seulement qu'il se trouve sur le sommet, là où j'ai dit que j'imaginai comme un tétin sur la poire. Je crois que lorsqu'on s'y dirige, on commence à monter insensiblement. »

La découverte du paradis ?

Le paradis terrestre, décrit dans la Genèse, est le seul endroit mentionné dans la Bible dont la situation reste imprécise. Colomb croit qu'il vient de découvrir l'emplacement d'Éden.

BOBADILLA

Les « Rois catholiques » ont vent du désordre qui règne sur Hispaniola. Ils envoient Francisco de Bobadilla, un aristocrate, y remédier. Le 23 août 1500, l'Espagnol aborde à Saint-Domingue, que gouverne Diego Colomb. L'émissaire s'inquiète de voir que Diego vient de faire pendre arbitrairement sept rebelles espagnols et qu'il s'apprête à récidiver.

Christophe Colomb ne put jamais se remettre de l'humiliation d'avoir été mis aux fers.

MIS AUX FERS

Influencé par les rapports des ennemis des frères Colomb, Bobadilla fait arrêter et mettre aux fers les trois navigateurs. Ils restent un mois en prison, avant d'être ramenés en Espagne pour y être jugés.

On est choqué de voir l'amiral revenir enchaîné et déshonoré.

REPÈRES

• Le capitaine du navire ramenant Colomb en Espagne a pitié de lui et veut le délivrer de ses fers, mais l'explorateur refuse, disant qu'il les portera jusqu'à ce que le roi et la reine ordonnent de les enlever.

• Christophe Colomb reste aux fers pendant plus de trois mois.

• Il garde ses chaînes pour montrer comment il est récompensé des services rendus aux souverains.

• Ensuite, Colomb garde ses fers dans sa chambre, en mémoire du traitement qu'on lui a réservé. Il demande même à être enterré avec ses chaînes.

DÉSHONORÉ

Bobadilla accuse Colomb d'avoir abusé de ses pouvoirs sur les conquistadors et gardé l'or dû aux « Rois Catholiques ». Pourtant, le marin ne passe jamais en jugement. Émus par la façon dont Bobadilla l'a traité, les souverains grâcient leur protégé. Mais Colomb n'oublia jamais cette épreuve.

LA MER DES CARAÏBES DÉCHAÎNÉE

LE ROI ET LA REINE ACCUEILLENT Christophe Colomb à la cour, mais ils refusent de le rétablir dans ses fonctions de gouverneur, car il n'a pas réussi à faire régner l'ordre à Hispaniola. Pendant des mois, Colomb ne cesse de récriminer contre le traitement qu'on lui a infligé. Lassés, les souverains finissent par l'autoriser à faire un nouveau voyage. En 1502, il repart vers les Caraïbes avec quatre navires en quête d'une route pour les Indes par l'Atlantique. L'expédition s'effectue au milieu des tempêtes.

TÉMOIGNAGE

« Personne n'avait vu une mer aussi démontée… Le ciel ne s'était jamais montré aussi menaçant… Les éclairs s'abattaient avec une telle violence que je me demandais s'ils n'allaient pas détruire mes mâts et voiles. En outre l'eau tombait du ciel continûment… et les hommes appelaient la mort qui les aurait délivrés de leur infortune… »

Christophe Colomb,
extrait d'une lettre à
Ferdinand et Isabelle,
7 juillet 1503

Crocodiles indiens ?
Sur le continent, Christophe Colomb rencontre des alligators. Il croit que ce sont des crocodiles, et cela le réjouit car il a lu que ces animaux vivent aux Indes.

Poterie figurant une femme maya

Rencontre avec des Mayas
Les navires croisent des bateaux peuplés d'Indiens richement vêtus. Ces indigènes sont des Mayas d'Amérique centrale, qui rencontrent ainsi pour la première fois des Européens.

UN CYCLONE !
En été, les Caraïbes sont le théâtre des cyclones (vents tourbillonnants et pluies diluviennes). Colomb dut subir un des ouragans les plus violents de l'époque. Ses bateaux ne sombrèrent pas mais une flotte de 20 navires d'Hispaniola, qui repartait pour l'Espagne, fut anéantie. Il y eut 500 morts dont le vieil ennemi de Colomb, Bobadilla.

DE GROSSES AVARIES
Le vent déchire les voiles. Les navires perdent des ancres, du gréement, des câbles, leurs canots et de nombreuses provisions.

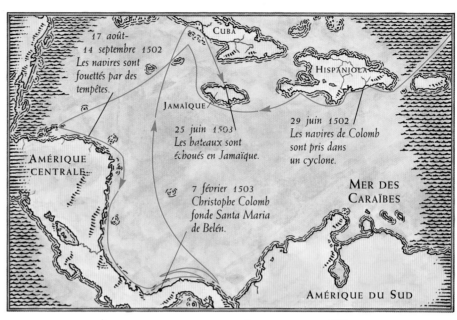

Sur la carte :

17 août-
14 septembre 1502
Les navires sont
fouettés par des
tempêtes.

CUBA

HISPANIOLA

JAMAÏQUE

25 juin 1503
Les bateaux sont
échoués en Jamaïque.

29 juin 1502
Les navires de Colomb
sont pris dans
un cyclone.

7 février 1503
Christophe Colomb
fonde Santa Maria
de Belén.

MER DES
CARAÏBES

AMÉRIQUE
CENTRALE

AMÉRIQUE DU SUD

TROMBE

Le 13 décembre, les marins sont terrifiés
à la vue d'une trombe (colonne d'eau
tourbillonnant dans un vent violent). Pour
se protéger, Colomb brandit une bible et
trace une croix dans les airs avec son épée.
L'ouragan passe près d'eux sans les toucher.

*Christophe Colomb s'inquiète pour son frère
Bartolomé qui est à bord du Santiago, le
bateau de la flotte le plus difficile à manœuvrer.*

LE QUATRIÈME VOYAGE

Christophe Colomb fait voile vers le sud
le long de la côte d'Amérique centrale,
mais il ne réussit pas à trouver un passage
vers les Indes. Sa tentative de fonder une
colonie sur le continent, Santa Maria de
Belén, échoue aussi, lorsque les colons
sont attaqués par des Indiens.

Vers marins
Des mollusques en forme de vers,
les tarets, vivent dans les Caraïbes. Ils
creusent des galeries dans les bois
immergés. Des tarets infestent les
bateaux de Colomb et dévorent leurs
coques qui finissent par se remplir d'eau.

*Malgré tous les efforts des
marins, les bateaux s'enfoncent
inexorablement dans la mer.*

*Le fils de Colomb, Ferdinand, qui
participe à ce voyage, travaille aussi
dur que les autres hommes d'équipage.*

TOUT LE MONDE AUX POMPES

Chaque jour, balayés par une pluie continuelle,
fouettés par les vagues, rongés par les tarets,
les navires prennent un peu plus l'eau. Les équipes
se relaient et travaillent sans arrêt pour pomper l'eau
et écoper, mais c'est perdu d'avance.

L'enfer en haute mer

Vingt mois de mer ont
transformé les navires
en enfer flottant. Les
hommes sont trempés et
affamés, ils souffrent de
nausées et de fièvres
tropicales causées par
les piqûres d'insectes.

Biscuits humides
Les biscuits prennent
l'humidité, se ramollissent
et grouillent d'asticots. Ils
sont si dégoûtants que des
marins attendent la nuit
pour pouvoir les manger.

Puces et poux
Les hommes sont
si faibles qu'ils ne se
soucient plus de leur
hygiène. Ils ne se lavent
pas et sont dévorés par les
puces et les poux.

Mouches et asticots
Les équipages
souffrent de
diarrhée, causée par
les mouches qui se
nourrissent
d'excréments et de viande pourrie, puis
portent les germes sur la nourriture.

Rats
Les rats sont les funestes
compagnons des longs
voyages. Ils vont
dans les cales où
sont les vivres,
ne laissant
derrière eux
que leur urine
et leurs
crottes.

ÉCHOUÉS !

DEUX DES NAVIRES DE CHRISTOPHE

Colomb, rongés par les vers, prennent l'eau si rapidement qu'il doit les abandonner. Il se dirige vers le nord, vers Hispaniola, avec les deux bateaux qui lui restent, le *Santiago* et *La Capitana*. Dévié de sa route par les vents et les courants d'est, il se retrouve à Cuba.

Il essaie de faire voile vers l'est, pour regagner Hispaniola, mais il doit renoncer à lutter contre les vents. Les navires s'enfoncent dans la mer, et les hommes s'épuisent à travailler constamment aux pompes. L'amiral est contraint d'aborder en Jamaïque, où il reste échoué pendant plus d'un an.

TÉMOIGNAGE

« Je suis abandonné… seul avec mes tourments, malade, j'attends la mort chaque jour, entouré par des millions de sauvages hostiles et cruels… Si vous avez la charité, la vérité et la justice, pleurez pour moi ! »

Christophe Colomb, extrait d'une lettre aux souverains, 7 juillet 1503

DES PÉNICHES

Le 25 juin 1503, les bateaux sont échoués et tranformés en maisons. Colomb craint une attaque des Taïnos de Jamaïque. Afin qu'ils ne tentent pas d'approcher, il ordonne à ses hommes de rester à bord et ne permet qu'à quelques-uns d'aller dans les terres pour en rapporter de la nourriture échangée contre de la pacotille. Confinés pendant des mois, les marins s'impatientent. Colomb, malade, est alité dans sa cabine.

Sur les ponts, les hommes édifient des huttes, couvertes de palmes.

On grée des pirogues.

EN QUÊTE D'AIDE

Le 17 juillet 1503, Diego Mendez, ami de Colomb, va chercher secours à Hispaniola avec deux pirogues, sept hommes d'équipage et dix Indiens.

REPÈRES

• Christophe Colomb entreprend son quatrième voyage avec un équipage de 143 hommes, dont 55 mousses. Ces derniers sont nombreux parce qu'on les paie moins que les adultes.

• Plus de 40 marins meurent au cours du voyage, de maladie, noyés ou dans des bagarres contre les Indiens ou entre Espagnols.

• Seuls 25 des survivants retournent en Espagne. Les autres restent à Hispaniola, lassés de la vie de marin.

• Diego Mendez est si fier de sa mission de sauvetage qu'il fait sculpter une pirogue sur sa tombe.

LA MUTINERIE DE PORRAS

Francisco de Porras, capitaine du *Santiago*, fait courir le bruit que Christophe Colomb ne pense pas quitter la Jamaïque et qu'il veut que l'équipage reste mourir avec lui. Le 2 janvier 1504, l'agitateur et 48 rebelles s'emparent de dix pirogues taïnos et font route vers Hispaniola.

Comme ils longent la côte à la rame pour se rendre à Hispaniola, les mutinés pillent les villages taïnos.

Les Taïnos sont terrifiés lorsque la Lune, que l'éclipse rend rouge sang, commence à disparaître.

UNE RUSE EFFICACE

Lorsque les Taïnos refusent d'apporter de la nourriture aux navires, Christophe Colomb imagine de les faire obéir en les effrayant. En effet, il a lu qu'il y aura une éclipse de lune, le 29 février. Il dit aux indigènes qu'il va les punir en demandant à Dieu de faire disparaître la Lune. La ruse fait son effet et les Taïnos, terrifiés, offrent toute la nourriture qu'ils peuvent trouver.

Les hommes s'affrontent à l'épée, car il ne reste presque plus de poudre à canon.

Les partisans de Christophe Colomb sont mieux nourris, donc plus forts que les mutinés.

COMBAT À L'ÉPÉE

Les mutinés essaient par trois fois d'atteindre Hispaniola avec leurs pirogues, et ils échouent. Porras accuse alors Colomb de leur avoir jeté un sort pour les empêcher de quitter la Jamaïque. Le 19 mai, les rebelles reviennent aux bateaux pour livrer bataille. Bartolomé Colomb les affronte avec 50 hommes. Il gagne ce combat, Porras est fait prisonnier et les mutinés se rendent.

Après un an et cinq jours en Jamaïque, les hommes pleurent de joie à la vue du bateau de Mendez.

ENFIN SAUVÉS

Diego Mendez arrive à Hispaniola en août 1503, mais il lui faut des mois avant de pouvoir acheter un navire et le charger de vivres. Ce bateau arrive à la fin du mois de juin 1504, presque un an après que Mendez avait quitté la Jamaïque avec ses pirogues. Colomb le remercie, lui dit que le jour de son sauvetage est le plus heureux qu'il ait connu. Il croyait qu'il allait mourir en Jamaïque.

La mort de l'amiral

CHRISTOPHE COLOMB REVIENT EN Espagne en novembre 1504, vieilli, usé, la santé ruinée par les longs voyages. Il passe ses derniers mois à supplier, mais en vain, qu'on rétablisse ses droits sur les terres qu'il avait découvertes. Il meurt le 19 mai 1506. Par ses explorations, il a changé le cours de l'histoire du monde. Cependant, il ne ne sut jamais qu'il n'avait pas atteint l'Asie.

Vision romantique de la mort de Colomb. Son fils Diego hérite du titre d'Amiral et devient gouverneur d'Hispaniola.

LES GRANDES DÉCOUVERTES

À LA FIN DES ANNÉES 1490, des explorateurs veulent, comme Christophe Colomb, traverser l'Atlantique. Au début ils espèrent par cette voie atteindre les Indes. Au fil du temps, ils voient que les terres qui s'étendent de l'autre côté de l'Atlantique ne sont pas l'Asie. Ils explorent ainsi deux nouveaux continents qu'on appellera plus tard l'Amérique du Nord et l'Amérique du Sud.

Jean Cabot
Comme Colomb, Cabot est génois. En 1497, pour le roi d'Angleterre Henri VII, il fait voile vers l'ouest, à la recherche des Indes. En abordant en Amérique du Nord, il croit être arrivé en Chine. En 1498, il entreprend un second voyage durant lequel il disparaît à jamais.

CABOT AU DÉPART DE BRISTOL, EN ANGLETERRE, LE 20 MAI 1497

Cabot 1497

OCÉAN PACIFIQUE

AMÉRIQUE DU NORD

EUROPE

Vespucci 1499~1500

AFRIQUE

Balboa 1513

MER DES CARAÏBES

OCÉAN PACIFIQUE

PANAMA

ÉQUATEUR

AMÉRIQUE DU SUD

OCÉAN ATLANTIQUE

Magellan 1519

LÉGENDE :
CABOT _____
VESPUCCI _____
BALBOA _____
MAGELLAN _____

Vespucci et le Nouveau Monde
Amerigo Vespucci fait deux voyages vers le nouveau continent, en 1499 et en 1501. Il comprend que ce ne sont pas les Indes. Il écrit qu'il s'agit d'un « Nouveau Monde ». Des moines de Saint-Dié (Vosges) éditent en 1507 un texte de Vespucci et, sur la carte de l'ouvrage, ils inscrivent America pour nommer ce nouveau continent.

UNE BARRIÈRE TERRESTRE
Les Européens sont surpris d'apprendre qu'une immense barrière terrestre bloque la route maritime vers les Indes. Mais, lorsque Balboa franchit à pied la partie la plus étroite de l'Amérique (Panama), on espère que le continent n'est pas trop large et que les Indes ne sont pas loin. La traversée du Pacifique par Magellan doit bientôt ruiner cette espérance.

Balboa atteint le Pacifique
En 1513, Vasco Núñez de Balboa conduit une expédition à travers le continent américain. Il est le premier Européen à voir l'océan Pacifique. Vêtu de son armure, il brandit son épée et, s'avançant dans l'eau, il proclame que cette mer et toutes ses îles appartiennent à l'Espagne. Mais ce fier personnage ignore que le Pacifique est le plus vaste océan du monde et qu'il recouvre un tiers de la surface du globe.

Ferdinand Magellan
En 1519, Magellan conduit une flotte espagnole le long de l'Amérique, en quête d'un détroit (passage entre deux mers) qui l'amèna au Pacifique. Il trouve ce bras de mer à la pointe de l'Amérique du Sud. Puis il connaît l'immense Pacifique. Il met quatre mois pour atteindre les Philippines, où il est tué. Un seul de ses bateaux, la *Victoria*, revient en Espagne. Après trois ans ce navire, dirigé par Sebastian Elcano, est le premier à avoir effectué le tour du monde.

Les progrès de la navigation

POUR NAVIGUER, Christophe Colomb ne se fie qu'à son compas. Il dispose aussi d'un quadrant, pour calculer la latitude (distance d'un point à l'équateur) d'après les étoiles. Mais cet instrument n'est pas fiable. Avec le temps et comme les explorateurs se font plus nombreux, de meilleurs instruments de navigation font leur apparition.

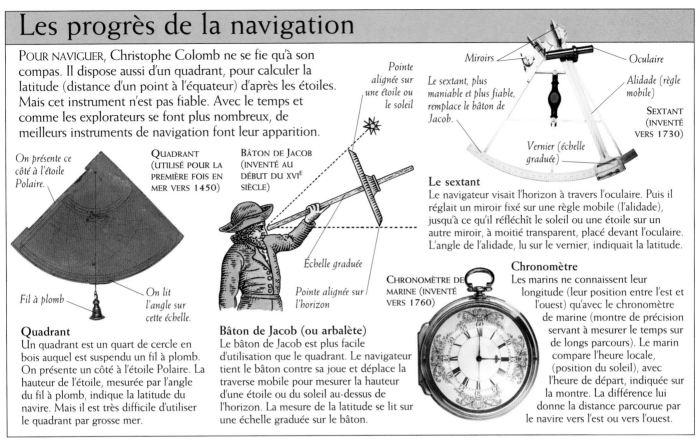

On présente ce côté à l'étoile Polaire.

QUADRANT (UTILISÉ POUR LA PREMIÈRE FOIS EN MER VERS 1450)

BÂTON DE JACOB (INVENTÉ AU DÉBUT DU XVIE SIÈCLE)

Pointe alignée sur une étoile ou le soleil

Le sextant, plus maniable et plus fiable, remplace le bâton de Jacob.

Miroirs — *Oculaire*

Alidade (règle mobile)

SEXTANT (INVENTÉ VERS 1730)

Vernier (échelle graduée)

Fil à plomb

On lit l'angle sur cette échelle.

Échelle graduée

Pointe alignée sur l'horizon

Quadrant
Un quadrant est un quart de cercle en bois auquel est suspendu un fil à plomb. On présente un côté à l'étoile Polaire. La hauteur de l'étoile, mesurée par l'angle du fil à plomb, indique la latitude du navire. Mais il est très difficile d'utiliser le quadrant par grosse mer.

Bâton de Jacob (ou arbalète)
Le bâton de Jacob est plus facile d'utilisation que le quadrant. Le navigateur tient le bâton contre sa joue et déplace la traverse mobile pour mesurer la hauteur d'une étoile ou du soleil au-dessus de l'horizon. La mesure de la latitude se lit sur une échelle graduée sur le bâton.

Le sextant
Le navigateur visait l'horizon à travers l'oculaire. Puis il réglait un miroir fixé sur une règle mobile (l'alidade), jusqu'à ce qu'il réfléchît le soleil ou une étoile sur un autre miroir, à moitié transparent, placé devant l'oculaire. L'angle de l'alidade, lu sur le vernier, indiquait la latitude.

Chronomètre

CHRONOMÈTRE DE MARINE (INVENTÉ VERS 1760)

Les marins ne connaissent leur longitude (leur position entre l'est et l'ouest) qu'avec le chronomètre de marine (montre de précision servant à mesurer le temps sur de longs parcours). Le marin compare l'heure locale, (position du soleil), avec l'heure de départ, indiquée sur la montre. La différence lui donne la distance parcourue par le navire vers l'est ou vers l'ouest.

LA VÉRITABLE DIMENSION DU MONDE
Le périple de Magellan révèle à quel point la géographie de Colomb est erronée. Le monde est beaucoup plus vaste qu'il ne l'a supposé et il n'existe pas de raccourci pour atteindre les Indes. L'Amérique et le Pacifique sont incontournables.

Comparez ce planisphère avec la mappemonde des pages 6 et 7, dessinée seulement soixante ans plus tôt. Il se rapproche beaucoup de ceux que l'on trouve dans nos atlas.

Cette ligne indique la route suivie par le navire de Magellan, la Victoria, de 1519 à 1522, pendant son périple autour du monde.

Les Philippines sont en guerre quand Magellan y débarque. L'explorateur est tué lors d'une bataille, le 27 avril 1521. Il était parti avec 270 marins. Seule une poignée d'hommes revient en Espagne sur la Victoria.

Il faut dresser la carte de certaines côtes de l'Ouest américain.

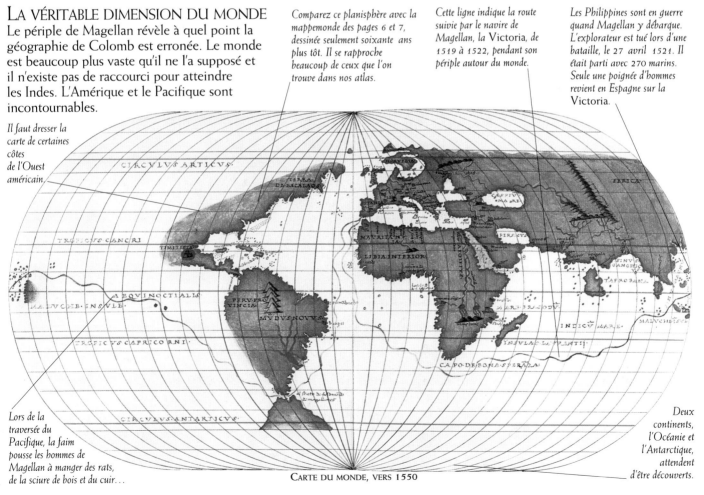

Lors de la traversée du Pacifique, la faim pousse les hommes de Magellan à manger des rats, de la sciure de bois et du cuir…

Deux continents, l'Océanie et l'Antarctique, attendent d'être découverts.

CARTE DU MONDE, VERS 1550

LES CONQUISTADORS

L'ESPAGNE NE TROUVA jamais de raccourci jusqu'aux richesses de la vieille Asie. Mais dans leurs explorations, les navigateurs qui ont suivi Colomb ont rencontré des civilisations plus remarquables que celle des Taïnos. Au XVIe siècle, les civilisations américaines furent anéanties par les conquistadors (conquérants espagnols).

Les Aztèques accueillent Cortés au Mexique en lui offrant des présents de grande valeur.

Troupes espagnoles

Hernán Cortés

LA CHUTE DE L'EMPIRE AZTÈQUE

En 1519, Hernán Cortés conduit une armée espagnole au Mexique. Moctezuma, le souverain aztèque, croit que Cortés est un dieu et il le traite avec égard. Deux ans plus tard, les Espagnols ont dévasté Tenochtitlán, la grande capitale aztèque, et l'empire est en ruine.

Aztèques, Mayas et Incas
Les conquistadors découvrent trois grandes civilisations en Amérique : l'Empire aztèque au Mexique, l'Empire inca au Pérou et les royaumes mayas en Amérique centrale. Les Espagnols soumettent successivement ces cultures.

Les corps sont jetés du haut des marches du temple.

La religion aztèque
Les Espagnols s'émeuvent en apprenant que les Aztèques arrachent les cœurs de leurs prisonniers pour les offrir aux dieux. Ces Indiens croient que le soleil ne continuera pas de briller s'ils ne font pas ces offrandes. Cette illustration représente un sacrifice à Huitzilopochtli, le dieu de la guerre.

Un Aztèque, forcé de porter des habits européens, apporte ses livres pour que les moines les brûlent.

Les moines sont espagnols.

Des bûchers pour les dieux
Des religieux espagnols suivent les conquistadors aux Amériques, pour prêcher l'Évangile. Ils détruisent toutes les images des dieux aztèques, persuadés que ce sont des démons. Ils saccagent les bibliothèques aztèques et mayas et brûlent les livres avec, parfois, leurs propriétaires.

Écrits et documents

Les Aztèques, les Incas et les Mayas ont inventé des écritures. On les trouve dans des documents dont ils s'aidaient pour gouverner leurs sujets et où ils inscrivaient les tributs payés par les peuples conquis. Les Aztèques et les Mayas consignaient les grands événements dans des calendriers sacrés.

Quipu inca
Les Incas utilisaient les quipus, cordelettes dont les nœuds, la longueur et la couleur permettaient d'enregistrer des données complexes.

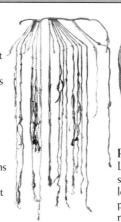

Codex (livre) maya
Les Mayas ont mis au point un alphabet constitué de hiéroglyphes représentant des sons. Ils consignaient dans leurs livres des faits religieux. Seuls quatre de ces codex ont échappé aux destructions des conquistadors.

Pierre-calendrier aztèque
Les Aztèques avaient une écriture simple, où des images figuraient les dates et événements. Cette pierre aztèque, couverte de dates, représente la création de l'univers.

PIZARRO ET LES INCAS

Francisco Pizarro conduit une troupe de 180 soldats au Pérou en 1532. L'Empire inca est alors affaibli par la guerre civile. Par ruse, et non sans audace, l'Espagnol capture l'empereur Atahualpa, et il lui demande une énorme quantité d'or pour le relâcher. L'Inca paie la rançon, mais le perfide Pizarro le fait étrangler.

Sur cette coupe de bois est peint un noble Inca coiffé de plumes, qui marche derrière un conquistador jouant de la trompette.

La cité perdue des Incas

Les Incas sont d'excellents bâtisseurs. Ils créent des cités monumentales et édifient des forteresses avec d'énormes blocs de pierre. La cité de Machu Picchu, située à 2 400 m d'altitude, n'est jamais trouvée par les Espagnols, alors qu'elle était abandonnée à l'époque de la conquête. La moitié de la population inca a été décimée par la variole venue d'Europe, qui se développe en Amérique du Sud avant l'arrivée de Pizarro.

Machu Picchu n'est découvert qu'en 1911.

Après Christophe Colomb

LA PÉRIODE DE L'HISTOIRE AMÉRICAINE qui précède la conquête espagnole est dite précolombienne (antérieure à Colomb). Les voyages du Génois, qui permirent la conquête espagnole, transformèrent les Amériques. Les conquistadors y introduisirent des animaux, (chevaux, bovins, moutons, porcs…), des cultures (blé), des outils en acier, des véhicules sur roues et, bien entendu, la langue espagnole.

L'héritage religieux

Les Espagnols obligèrent les indigènes à se convertir au christianisme. La cathédrale de Mexico s'éleva sur les fondations de temples aztèques démolis par les conquistadors. Mexico est une capitale de style européen bâtie sur le site de Tenochtitlán.

Qu'est-ce qui a survécu ?

En dépit des changements, de nombreux usages des Indiens d'Amérique ont survécu. Les femmes du Mexique et de l'Amérique centrale cuisinent encore des plats aztèques et mayas, comme les tortillas (crêpes de maïs). L'artisanat et les techniques traditionnelles sont toujours vivants : on tisse la toile avec un métier attaché dans le dos, comme à l'époque précolombienne.

LA CONQUÊTE DES MAYAS

La civilisation maya est la plus ancienne du continent, mais elle connaît déjà son déclin à l'arrivée des Espagnols. Cela n'empêche pas ce peuple de s'opposer vivement aux conquistadors. Les Mayas sont disséminés en plusieurs royaumes, que les Espagnols doivent conquérir un à un. Le dernier tombe en 1697.

LA PYRAMIDE DU DEVIN, UXMAL, MEXIQUE

LES TEMPLES MAYAS Comme les Aztèques, les Mayas placent leurs temples au sommet de hautes pyramides de pierre. Celle-ci se trouve à Uxmal, au Mexique. Comme de nombreuses cités mayas, Uxmal est abandonnée quatre siècles avant l'arrivée des conquistadors.

La pyramide du Devin s'élève à 38 mètres.

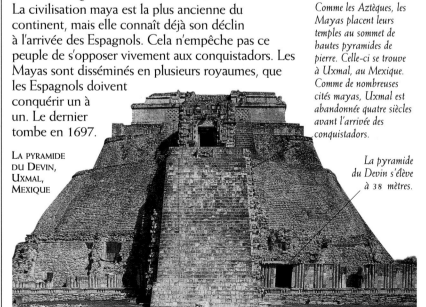

LES RICHESSES DE L'AMÉRIQUE

Les indigènes du continent se parent d'objets en or. Les conquistadors font fondre ce métal pour l'envoyer en Espagne. L'or et l'argent d'Amérique enrichissent l'Espagne et en font un État très puissant, car ils servent à financer des guerres en Europe.

Perles décorées de spirales

Collier

Ce collier d'or était enterré dans le Grand Temple aztèque de Tenochtitlán.

Ornement de nez mexicain

C'est l'un des rares qui ne furent pas fondus par les conquistadors.

Les doublons étaient frappés de la croix chrétienne.

Doublons espagnols

L'or des Aztèques et des Incas fut transformé en pièces de monnaie, comme ces doublons, frappés du lion et du château, emblèmes royaux d'Espagne.

Index

Remerciements et crédits

L'éditeur tient à remercier les organismes suivant pour leur aimable autorisation de reproduction.

Iconographie
h=haut, b=bas, g=gauche, d=droite, c=centre

AKG Londres 10hg, 26bg, 44bc ; Bibliothèque Nationale 8bd, 9hd ; British Library 11h ; Erich Lessing 29bd ; Sevilla Biblioteca Columbina 12cg ; Veintimilla 47cg ; Bridgeman Art Library, Londres / New York, Biblioteca Nacional, Madrid, Espagne 46hd ; British Library 6–7, 9b ; Library of Congress, Washington 35 cd ; British Library, Londres 34cg, 45b ; British Museum 8bg, 12hg, 15cd, 47bd ; INAH 40bg, 46bg ; Corbis UK Ltd 36–37; Bettmann 32cg ; The Art Archive, Palazzo Farnese Caprarola/Dagli Orti 44bd ; Mary Evans Picture Library 18-19dps ; 39hg ; De Lorgues 43bd; Glasgow University Library Ms Hunter 46cd ; INAH 40bg, 46bg ; Katz Picture The Mansell Collection 14bg, 15hg, 30-31 ; Museum of Mankind 47h ; Museum of Order St. John 35c ; Peter Newark's Pictures 44cg ; Ernest Board 44hd ; National Maritime Museum 11hc, 12bd, 41bc, 45hd, 45cd ; N.H.P.A. Kevin Schafe 39cd ; Robin Wigington, Arbour Antiques 35hg ; Scala Group S.p.A., Biblioteca Nazionale Firenze 46c ; Science Photo Library, Eye of Science 33hg ; Wallace Collection 35cgh ; Warwick Castl 35hc.

Couverture : Dorling Kindersley pour tous les documents, sauf pour le premier plat hg et le quatrième plat hd © British Museum, et le quatrième plat hg © National Maritime Museum, Londres